エッセイ　障害者のひとり暮らし②

『車椅子のＬＧＢＴＱ』

ミカヅキカゲリ

＊ もくじ

＊ まえがき．

エッセイ障害者のひとり暮らし②車椅子のＬＧＢＴＱは、エッセイ『障害者のひとり暮らし①』の続編となるエッセイです。ほんとうは『車椅子のうえ発達障害のＬＧＢＴＱ』にしようかと思ったほどですが、ややこしいのでタイトルはシンプルに『車椅子のＬＧＢＴＱ』にしました。しかし、内容にはわたしの三大要素（車椅子、発達障害、ＬＧＢＴＱ）を折り込みました。

全体的に、マイノリティを前面に打ち出した本になっています。自分がマイノリティだと感じるひともマジョリティだと自負しているひとも、なにかの気づきやきっかけになれば、と思います。この本を読み終えたとき、あなたが読む前よりもすこしでもやさしくなっていたらいいな、と希望しています。願いを込めて×××

ミカヅキカゲリ

＊　１．マイノリティ

マイノリティであること
おそらく、おおくのひとが無意識にとおり過ぎる
わたし自身は『マイノリティのなかでもマイノリティ』を自覚させられる機会が多かった
『サイレントマジョリティー』との表現もあるが、それが成立するのはマジョリティ側はとくに声を上げる必要を感じない背景がある
白人、男性、健常者、シスジェンダーなど
この世界のなかで、〈生得的な生きやすさ〉を獲得できているからだ
けれど、みえにくくても、マイノリティはいる
わたしたちは存在している

大多数からはみだした存在はなかったことにされがちだけど

＊　一の一．〈搾取され虐げられる存在〉

マイノリティと云うことばをご存知だろうか？　少数者と云う意味だ。対義語は、マジョリティ。マイノリティには、少数者のほかにも、〈搾取され虐げられる存在〉との意味合いも含まれる気がしてならない。

はじめにマイノリティを少数者と述べたが、その意味においては、〈社会的〉を付与すべきかも知れない。社会的少数者。マイノリティには、たぶんに社会的な側面が関連する。逆に云ってしまうと、社会から切り離された場面においては、マイノリティもマジョリティも成り立ち得ない、と云えるかも知れない。マイノリティとひと言でまとめてしまうのはかんたんだが、そのなかには多くの社会的少数者が含まれている。いま、わたしが思いつくだけでも、民族的マイノリティ（日本では、アイヌ民族や琉球民族がある）、宗教的マイノリティ、性的マイノリティなどなど。おそらく、障害者などもマイノリティにあたるだろう。

いま、世界の潮流として、対立や分断を過剰に煽り、マジョリティに優越感を自認させることにより、ひとびとの幸福指数を操作するような為政者が多く見られる。マイノリティを切り捨てることにより、つくられた偽の幸福感。

そのなかで、どんどん不可視化してゆくマイノリティは、しかしけして守られるべき存在ではない。マイノリティは生きていていい存在なのだ。マイノリティが生きやすい社会は、おそらくやさしい成熟した社会であろう。そこを目指すことは、マイノリティのためのみならず、マジョリティの仕合わせにもつながるはずだ。

もちろん、マジョリティだって生きていていい。と云うか、ひとは誰しも生きていていい。生きているだけでかけがえのない唯一無二の大切な存在である。

多くのひとが、自分にはなにかが足りないと感じている。わたしの場合もそうだ。わたしはもっとこれをやりたいとか、こんなふうになりたいとか、望みすぎて苦しくなる。望むことが、わたしを生きにくくする。しかし、希望を抱くことは本来悪いことではないはずだ。希望を抱き、未来を信じ歩んできたからこそ、人類はここまで進化してきた。希望は向上心につながる。けれど、上ばかりを求めていては、肝心の足取りを見失ってしまう。わたしの場合、それが自殺未遂につながった。

覚えておいてほしいこと。ひとは生きているだけでいい。あなたはそれだけで、〈ひかり〉のそんざいなのだ。〈ひかり〉は目指すべきものでもあるけれど、もともとあなたのなかにひそんでいる。それを信じて、見つめてみてほしい。そして歩けないと思ったときは、云い聞かせてほしい。

『わたしはわたしでじゅうぶんだ。価値がある。なにもできなくてもかまわない。生きているだけでいい』

この本で、訴えたいのはそんなこと。たぶんあたりまえで些細なこと。

＊ Iの2．〈マイノリティのなかのマイノリティ〉

わたしは昔から、〈マイノリティのなかのマイノリティ〉だと思い知らされることが多かった。大学時代に、クイアサークルに入ったときもそう。男性同性愛者、つまりゲイのひとたちは声も大きく、戦いにも積極的。わたしは、Xジェンダーとしても自分のことがまだよく判っておらず、彼らには「態度をはっきりさせないのは狡い！」と四六時中責められた。

のちに、四肢麻痺となり、車椅子生活に入り、障害者の団体に近づいたときもそう。障害者の権利獲得運動において、中心となっているのは男性の身体障害者。目指しているロールモデルでさえ、男性の身体障害者を基準においているように思われた。そのなかで、女性や精神障害者や知的障害者は置いてきぼりの印象だ。いわんや、そのほかの性別をや！

あなたも、経験したことはないだろうか？　あるコミュニティに帰属できると期待したのに、なんとなくその期待は裏切られ、居場所がないような思いをしたことは？

このような現象はなにゆえに起こってくるのだろうか？　おそらく、この現象は現実社会の縮図として起こってくるのだろう。現実社会は、かなしいことだけど、差別や偏見に満ちた残酷な場所である。そうした現実社会を反映してあるコミュニティにおいても、さらに異端分子が生み出される場合がある。そのコミュニティがマイノリティコミュニティであっても、だ。〈マイノリティのなかのマイノリティ〉の誕生である。そうして、〈マイノリティのなかのマイノリティ〉を異端分子として切り捨てたひとびとは、そのコミュニティ限定の名誉市民、つまりマジョリティの地位を獲得できる。

ちょうど、江戸幕府が民衆の不満のはけ口として、士農工商の四身分の下に、〈えた・ひにん〉

と呼ばれる被差別階級を作り出したように。『下を見ろ！　あいつらにくらべれば、マシだろう？』と云うわけである。

しかしそんなのは、体のいい護摩化しに過ぎない。〈マイノリティのなかのマイノリティ〉をいくら生み出し、彼らを虐げたところで、それは代償行為である。自分が偉くなったわけでも、ほんとうの名誉市民になれたわけでも、ない。そのような護摩化しに惑わされることなく、真実を見極める目を持つことが必要だ。〈マイノリティのなかのマイノリティ〉でも、〈マイノリティのなかのマジョリティ〉でも、〈仲間〉だと云うこと。それを忘れないでほしい。現実がどんなに過酷で残酷な場所でも。

最後に、伝えたい。〈マイノリティのなかのマイノリティ〉であると感じて、この世のどこにも居場所など存在しないと感じているひとへ。あなたはそのコミュニティに受け入れられないのではない。入る必要がないのだ。何故なら、あなたはそれだけ特別で代わりのきかない存在なのだ。わたしは基本的に嘘つきだけどこれはほんとう。信じてみてほしい。

＊　Iの3．〈選民意識〉とマイノリティ

マイノリティの問題からはすこしばかり論点がずれてしまうかも知れないが、ここでわたしの脳裏を離れない問題について触れておきたい。

それは、〈選民意識〉とマイノリティの問題。とくに、〈選民意識〉についてである。

と云うのも、わたしはマイノリティである意識と同等に、〈選民意識〉も抱いているからである。

これは、いままで自分の醜い部分として、ひた隠しにしてきた。けれども、同時にわたしと云う人間の根幹をなす部分でもある。ゆえに、あえて白状してみることにした。わたしはだいたいにおいて、自分を薄っぺらいくだらない人間だとみなしている。しかしいっぽうで、『どこか選ばれた特別ななにかをなしうる存在なんぢゃないか』と云う〈選民意識〉を捨てきれないまま、生きてきた。或いは幼い日に神童と呼ばれた記憶の為せる技かも知れない。或いは進学校で植えつけられた陳腐なエリート意識のなれの果てかも知れない。

この〈選民意識〉はおそらく、自分を見放したくない、特別だと信じていたい、その他大勢とおなじに片づけられたくない、などの幼い願望の発露であると云えるだろう。一般的な発達の経路を考えるとき、ひとは多くの場合、はじめに抱いていた原初的願望を脱ぎ捨てながら、成長してゆく。或いは成長の過程において、それらの願望から脱却、或いは卒業できるようになってゆくのではないだろうか。それはけっして諦念ではないだろう。そうではなく、現実や理想に自分なりの折り合いをつけながら、着地を探るような作業に他ならない。そして、その作業こそを『大人になる』と表現するのであろう。願望から脱却することで、ひとは社会の一員としての自分に〈納得〉し、現実を〈受容〉して、大人になってゆく。この〈納得〉と〈受容〉が大切なのだろう。

その点、たぶんわたしは未成熟だ。社会の歯車になりそこなったため、〈納得〉と〈受容〉に失敗しつづけている。すこし話は逸れるのだけど、わたしは二年前まで、万年思春期の14歳だった。だが、去年16歳の介助者が入ってきて、一年間一緒に遊んでいるうちに同い年になった。なので、いま、わたしは16歳である。尤も介助者はすでに17歳の介助者1になってしまったわけであるが。

話を戻そう。マイノリティコミュニティにおいても、〈選民意識〉が見受けられることがある。『世の中はわかってくれないけれど、わたしたちは選ばれた民なんだから！　正しいのだから！』と云うわけだ。

慰めあっているだけならば害はない。だが、歪んだかたちで尖鋭化が為されてしまうと、オウム真理教のように、暴徒化する危険も孕んでいるように思う。

この危険を回避するために、〈選民意識〉の独善化を避けなくならないだろう。オリジナリティもアイデンティティも必要だ。けれど、独善に陥ることのないように、常に冷徹な視点から自らを顧みることが必要なのではないか、とわたしは思う。

＊　1の4．マイノリティであってもなくてもあなたは特別

マイノリティのいろいろを見てきた。自分にあてはまると感じたひとも、反対に自分には無関係だと感じたひとも、いたことだろう。

いずれにしても、わたしが云いたいことは、ひとつ。『マイノリティであってもなくてもあなたは特別』と云うこと。

前項でさんざん、〈選民意識〉の独善化の警鐘を鳴らした。そのうえで、こう云ったのでは、論理矛盾だと思われる方もいらっしゃるかも知れない。

しかしこの場合の〈特別〉は、他者と比較しての〈選民意識〉的な相対評価のそれではなく、あなたと云う存在を唯一無二のかけがえのないオリジナリティの塊とみなす絶対評価の〈特別〉である。大切なので、くり返させてほしい。『マイノリティであってもなくてもあなたは特別』と云うことを。『マイノリティであってもなくてもあなたは特別』と云うことを。

かつて、わたしは自分の価値を信じきれなかった。その結果が、自殺未遂である。あのとき、ひとりでも味方になってくれていたら……、味方になるほどでなくても「あなたはそのままでいい」とのメッセージを発進してくれていたら……。結末は違っていたはずだ。

或いは個人に原因を押しつけるのは、不適当かも知れない。そうではなく、社会がもっとはたらけないひとやマイノリティに対して、寛容であればいいだけのことかも知れない。社会に出ろ、マトモな大人になれ、と我々は日々、無言の圧力を感じている。それに耐えられなくなったとき、ひとは毀れるし、人知れず、自死を選択するほど追いつめられるのであろう。わたし自身がそうだったし、わたしのもとに読者さんから届いた手紙にも「ただ生きていて」のひと言が云えなかったば

かりに友を亡くした後悔が綴られていた。

だから、あなたのそばに誰もいなくても、わたしは伝えたい。『あなたには、なにもできなくても価値がある。生きていてくれればそれだけでいい』と。これが社会のスタンダードになればいいと思う。何度も何度もおなじようなことをくりかえしているが、ほんとうに伝えたいので、云わせてもらう。『あなたには、なにもできなくても価値がある。生きていてくれればそれだけでいい』と。

マイノリティであろうとマジョリティであろうと、あなたは唯一無二の特別な存在なのだ。それは信じにくいことかも知れない。現実の社会はまだそこまで、寛容ではないから。ひとは外界の雰囲気にのまれがちなものだから。

この本を書きながらも、白状するならば、わたし自身がとても揺れているのを感じている。そんな価値観には価値がない（何故なら造られたものだから）とは判っているけど、やはり可愛くいたいし、若くいたいし、太っている自分を鏡で見ると死にたくなることもしばしば。内面に関しては、もっとそう。どうして生きることに前向きになれないのか。どうして、成熟できないのか。どうしてなにも為せないまま、時ばかり空費してゆくのか。そしてなにより、痛みばかりを撒き散らしてしまうのか。

だけど、たぶん、これはわたしだけが思うことではない。みんな、自分の価値に迷っている。わたしには自分の価値は信じることがむずかしいけれど、ほかのひとのなかに宝石が眠っていることは判る。そして、それを伝えること。世の中の美しい部分を伝えること。それが使命なのではないかと考えている。だから、騙されたと思って、想像してみてほしい。『なにもできなくても、わたしはそのままでいい。美しい。価値がある。生きていていい』と。わたしからの切なるお願いだ。

＊　一章まとめ.

祈りの章になった。書きはじめてみると、意外にも。その分、自分のこと以外の具体性には欠けているかも知れない。おそらくはわたしに勇気が足りない所為だろう。もしくはわたしが夢見がちすぎる所為だろう。

だが、この章に書いた祈りは紛れもなくわたしの本心だし、それ以上に、ほんとうのことだ。信じてみてほしい。

＊　２．車椅子

タイトルを障害者にするべきか迷った
ただ、自分の障害を思うとき、車椅子のほうがしっくりくる
その昔、障害者コミュニティに入れるかと期待した
だが、そこはとても狭い世界だった
健常者に近い、男性身体障害者が優遇されるような場所
わたしは、ただ、車椅子なだけだ
翼の生えた赤い電動車椅子

障害を氷砂糖と名づけては翼をまとい今日も生きてく

＊　2の1．翼の生えた赤い電動車椅子と介助者

何度も述べているとおり、わたしは障害者だ。四肢麻痺で首から下は殆ど動かすことができない。食事も更衣も入浴も排泄さえも、介助者の手助けなしには不可能だ。これも何度も述べているが、四肢麻痺のきっかけは睡眠薬のオーバードーズによるもの（ただしはっきりとした原因は不明）。ただ、オーバードーズの後遺症が脳にダメージを与え、神経に指令が伝わらないのだろう、とされている。

それでも、わたしはいま、介助者を使ってのひとり暮らしに挑戦中だ。そのなかで、おおきな存在はやはり『翼の生えた赤い電動車椅子』だろう。電動車椅子と出逢ったとき、本気で世界が拓けた気がした。自分で動ける。それがこんなにも、自由を運んでくれるなんて。こんなにも、泣きそうなほどうれしいなんて。

以来、わたしは赤い電動車椅子でどこまでも街を闊歩する。闊歩、と云うのは、正確ではないけれど、わたしの実感としては、ものすごく妥当な表現なのだ。人混みも歩くし、バスにも乗る。まさに、闊歩。まさに、自由。

もうひとつ、わたしの翼の代わりとなってくれているのが、介助者の存在だ。わたしは介助者と呼ぶが、一般にはホームヘルパーの呼称のほうが馴染みがあるかも知れない。ただ、わたしが〈介助者〉と呼ぶのは、わたしが受けているのは、〈介護〉ではなく、〈介助〉であると考えているからだ。わたしは、守られるべき存在ではなく、ただ手助けが必要なのだと思っているのだ。

数年前に書いた文章の一節を紹介したい。

『今日は病院に来た。受付を済ませ、順番を待つ間、写真を撮り、Twitter にあげる。

文フリで手に入れた詩集を読む。

これらを介助者に手助けしてもらう。

思いついた詩を介助者に入力してもらい、スマホにメモする。

わたしは漢字をたくさん知っている。だけど、字がかけない。

介助者はあまり漢字を知らないひとが多い。だけど、わたしの手となり打ってくれる。

わたしは介助さえあれば、空をも翔べる。』

基本的に、この考えは変わっていない。わたしは、翼の生えた赤い電動車椅子と介助者さえいれば、酷く自由になれる。

そこに付け加えるなら、更紗（わたしのパソコン。少年。）により紡ぎ出される文章さえあれば、わたしはもう無敵である。更紗（わたしのパソコン。少年。）があれば、わたしは躰の自由の効かなさを忘れる。ことばの世界は無限で、わたしは自由にはばたくことができる。

これらがわたしの翼。そしてこれらがあるから、苦しくてもわたしは生きてゆける。

＊　2の2．コロナ禍の世界に対する危機感

いまさらながら、コロナ禍だ。不要不急の外出の自粛が叫ばれ、ひとびとは互いに距離を取るようになった。外では、マスクをしていないと、非国民か人非人のような視線にさらされる。

そんな状況下で、わたしが世界に抱くのは危機感。世界から、寛容さが喪われてゆく気がする。これまで長い歴史がようやく獲得してきた社会の（まだじゅうぶんではないが）成熟度合いが退化のいっぽうを辿っている気がして、こわくてならない。

たとえば、2020年3月から、わたしはバスに乗ることを禁止された。前述したように、わたしは赤い電動車椅子で出かけることが好きだ。バスに乗ってでも、赤い電動車椅子でどこまでも出歩く。そんなわたしを思いとどまらせるため、周囲が用意したロジックはつぎのようなものだった。

「こんな非常時に、車椅子のひとがわざわざスロープまで出してもらって乗り込んできたら、バスの他の乗客から白い目で見られるよ。あのひとのどこが絶対必要な外出なんだろうって！」

要は不要不急の外出など、障害者にはあり得ない、と云うことらしい。

「お年寄りとかでもそうよ」

聞いているうち、哀しくなってしまった。口にはしなかったけれど、その論理にはわりと深く傷ついた。

非常時には、弱者は切り捨てられる。みんな余裕がなくなるから。その典型に思え、心が冷えた。

かつて、ナチスは優性思想を悪用し、弱者（ユダヤ人、身体障害者、精神障害者、性的マイノリティなど）を非生産的であるとして虐殺した。それから、4分の3世紀経っても、世の中に余裕がなくなると、こうした言説が登場する。世界は進歩などしていないのだろうか？

しかし、絶望してもはじまらない。わたしのひとり暮らしはそれだけで、なんらかの役に立っているはず。障害者は特別な場所だけにいる特別な存在ではなく、ふつうにそのへんに暮らしているのだと示すことができるから。だから、わたしがスーパーに買い物に出かけるだけでも、それは社会を善くするための一助になりうるはずだ、とわたしは思う。

それに、バスに乗れなかったことは、一面で善いことの発見につながった。いままで、わたしは街中に出かける機会が多かった。映画、美術館、講演会、コンサート。しかし、バスを禁じられたことにより、市の中心部へは行けなくなった。代わりに、わたしがはじめたのは、公園への散歩と夜の徘徊だった。公園は車椅子で10分ほどの距離にあるのだが、それまでのわたしは桜の時期くらいしか訪れることはなかった。だが、おおきな公園の池や樹々やビオトープや鳥や魚。その雄大さ。時間はゆったり流れ、わたしのなかになにかが満ちる。夜の徘徊もそう。赤い電動車椅子でどこまでも歩いていく。合計で3時間くらい、ずんずん歩く。静かな夜の気配。わたしのなかになにかが満ちる。

それをエネルギーとして、わたしは生きようと思う。買い物に行き、食事をし、そして書こうと思う。

寛容さを喪ってゆく世界に向けて、いまわたしができることを粛々と執り行なおう。危機感を訴えることは、その一環。あなたにも気づいてほしい、と願っている。

＊　2の3．車椅子になったら生きていけない？

ものすごく時折なのだけれど、学校や企業における障害者への対応の研修の講師をやらせていただくことがある。とりわけ、相手が障害者にまったく馴染みがないような場合に、導入としてこんな質問をする。

「あなたがいま、車椅子になったらどうする?」

みんなけっこう真剣に考えてくれる。けれど、わたしにとっておどろくべきことに、もっとも多い答えはつぎのようなもの。

「もしも、車椅子になったら絶望する。自殺を考えるかも知れない」

「車椅子になったらたぶん生きていけない」

正直云って、この類の回答の多さには愕然とさせられる。

参加者なりに、真剣に想像してみた結果であろうことは、たしかなのだろう。しかし、それはあまりに見方が狭くはないだろうか? 「車椅子になったら生きていけない」……ほんとうにそうだろうか?

実際には、車椅子になったところで、ほかのどんな障害をおったところで、生きていくことは可能だ。第一に、躰の不自由さゆえ、自死の道が閉ざされている可能性のほうが高い。行きていける、いけない、以前に、強制的に生かされてしまうことになるだろう。

第二に、たかが躰が動かないだけのことで、行きていくことを免除などされない。現代社会には、さまざまな福祉サービスや福祉器具があり、あなたをけっして放置したりはしない。

実際に、わたしが四肢麻痺になり、車椅子になったときも、さしたる絶望には陥らなかった。「あー、動かなくなっちゃったな、やっちゃったな」程度。とくにわたしの場合、きっかけは自分にあるから後者のような感慨につながった面もあるだろう。不慮の事故や病気から障害をおってしまった場合には、ものごとはここまで単純にはすすまないかも知れない。

けれど、忘れないでほしい。車椅子になったって、ほかのどんな障害をおったって、あなたは生きていける。生きていく価値がある。生きていかなければならない。ともに生きていきましょう。

＊　２の４．障害者に関する豆知識

　この章の最後は、障害者に関する豆知識を幾つか紹介してみようと思う。

　まず、殆どのひとが、身近に障害者を知らないことが多いと思う。障害者のイメージはどのようなものだろう。あとの章とも被ってしまうけれど、障害者についてかるく触れておきたい。

①必ずしも、車椅子に乗っているわけではない。
障害には、おおきく分けていくつかの種類がある。

「身体障害」

「精神障害」

「情緒障害」

「知的障害」

「内部障害」

など。


　このうちもっとも判りやすいのが、「身体障害」だろう。この典型的なイメージが車椅子に乗ったひと、と云うものだ。

　或いはダウン症など見た目に判りやすいものもあるだろう。

　いずれにせよ、障害者が車椅子に乗っていると云うのは、誤謬である。多くの障害者がたまたま車椅子に乗っているだけだ。云うなれば、彼らは障害者のなかのマジョリティであるため、目につきやすいだけだ。

しかし、ほんとうの意味で周りの無理解に苦しみやすいのは、寧ろ、〈見えない障害〉を抱えたひとたちだろう。「精神障害」や「情緒障害」や「軽度の知的障害」や「内部障害」などがそうだ。詳細は省くが、「高次脳機能障害」なども含まれるだろう。

②車椅子に乗っていても、歩けないとは限らない

わたしは、電動車椅子に乗っている。首から下は殆ど動かすことができない。もちろん、立てないし、歩けない。

しかし、ふつうの（手動）車椅子に乗って、自分で車椅子を漕ぐこともできるひともいる。彼らのなかには、立つことはかろうじてできると云うひともいる。そればかりか、伝い歩きや手を引いてもらえば、歩行すら可能なひとすらいる。

ここでそれに関する笑い話をひとつ。かなり前、ユニバーサルスタジオジャパンに行ったとき、ハリー・ポッターのホグワーツ城にはまだエレベーターがついていなかった。わたしは受付のお姉さんに電動車椅子で近づいた。

「車椅子は入れませんか？」

お姉さんはにっこりして云った。

「はい、生憎なかは階段になっております。ですが、もし、車椅子から降りて、階段2階分の高さを歩いて登っていただければ、ご覧になれます！」

わたしは言葉を失った。車椅子はそんなに着脱可能に見えるのだろうか？　しかも、電動車椅子が？　階段2階分も歩けるなら、はじめから電動車椅子になど乗ってはいないだろう。

結局、城の外観の写真だけで満足することにした。余談だが、このとき湖に映る城を写した写真

がわたしの第一詩集『水鏡』の表紙となった。

＊　２章まとめ

車椅子や障害者について、思いのままに語ってしまった。その結果、酷く散漫な章になってしまった気がする。ほんとうは、重度訪問介護などにも触れたかったが、紙幅の都合で果たせなかった。このシリーズに③ができたら、書くことをお約束する。

＊　３．発達障害

その昔、猫も杓子も〈うつ病〉を自称していた時代があった
いま、その意味で行くと、ブームは変遷したと云える
〈発達障害〉へと
流行の最先端をじつはわたしはいっている
わたしはかなりあとになって発達障害の診断を受けた
なんと自殺未遂すら、それによって引き起こされたそうだ

周りとの軋轢や齟齬は器質的脳の機能の違いからくる

＊　３の１．発達障害の診断の衝撃

わたしが発達障害の診断を受けたのは、車椅子生活にも慣れてきた頃。

それまで、不安や希死念慮のつよさから、統合失調症だろうとされていた。だが、精神科を変え、さまざまな心理テストの結果、発達障害だと診断された。もっと正確に云うなら、高機能自閉症、所謂、アスペルガー症候群。一般的な自閉症と違い、アスペルガー症候群は寧ろ知的には高い部類に入る。だけど、言葉遣いが独特で難解な云い回しをするなど、やはりコミュニケーションに障害を有する。

また、視線を合わせることが苦手、だともされている。もっとも、わたしの場合は、幼い頃からその点を執拗に注意されたため、逆にみつめグセがあったりする。

「話を聞くときは、ひとの目を見なさい！」

と云うわけだ。

話を戻そう。わたしにとって、発達障害の診断の衝撃はおおきかった。長年に渡って、解消できずに抱えてきて、自殺未遂の原因にもなった、〈わたしの問題〉。そこには理由があったと説明がついたのだ。

自分は人間じゃないのかも知れない。そこまで思い悩んでいたわたしだったので、ものすごく安堵した。ものすごくホッとした。

精神科医が云った。

「ミカヅキさんはだいたいの場合、本音で話している。逆に云うと、本音しかない。だけど、世の中の大半のひとは違うんです。建前もあれば、方便や駆け引きもある。嘘だってつきます。基本的に、本音は云わない。それがおそらくあなたには理解できない」

たしかにそのとおりだと思う。他人の内面はわたしにははかり難い。

昔から、思わぬ誤解を受けることが多かった。わたしの云いまわしは、たぶん、率直すぎるのだ。

ひとはまず、そのあまりの明け透けさに驚愕し（或いは引いて）、わたしを悪意で解釈する。

わたしとしては、なんの気なく無邪気に発した発言を思わぬ悪意に受け取られるたび、逆にその発想の意地悪さに吃驚していた。

「世の中のひとって、そんなに内心は意地悪なの？」

と云うわけだ。そしてこんなに悪意に満ちた世界には、もうどこにもわたしの居場所などない、と絶望していたものだ。

しかし、別にどちらが悪いとか云う問題でもないのだろう。彼らは定型発達を遂げていて、わたしは非定型なだけ。そもそも、脳の器質的な部分の差異なのだ。

だからと云って、わたしがなんの適応もできぬまま、本来の自分として自由に振る舞っていいか、と云えば、そこは疑問だ。定型発達の社会のなかで生きている以上、歩み寄りは必要だろう。わたしは、日々、模索をつづけているところだ。

＊　３の２．ミカヅキ的発達障害〈あるある〉

ミカヅキ的発達障害〈あるある〉を幾つか紹介したい。

①「最近どう?」は社交辞令的挨拶

わたしは、ひとり暮らしをはじめてしばらく、介助者が毎日のようにやってきているにも拘わらず、

「最近どうですか?」

と口にすることに戸惑っていた。しかし訊かれたからには答えようと思い、懸命に考えては答えていた。

「えーと、昨日はあのあとお風呂に入って、その後夕食を食べました。それから、2時くらいまでパソコンで小説を書き、それから寝ました。そして、さっき起きたところです」

と云った具合に。云われた介助者も困ったことだろう。その後、

「『最近どう?』は単なる社交辞令的挨拶なんですよ」

と教えられた。なーんだ。

②発言にはことば以上の意味が含まれることがある

介助者によく訊かれる。

「夕食、食べますか?」

わたしはにっこりこたえる。

「はい、食べます」

しかし間ができる。あれ? 長くわたしのつぎのことばを待っていたらしい介助者がようやく訊

く。

「それで、なにを食べますか？」

そこまで含まれていたことに、わたしはまったく気づけないのだ。

③なんで？は要注意

ヘルパーステーションの代表に訊かれた。

「シュレッダー、なんで買ったの？」

わたしは即答する。

「アマゾンポイントで」

「違うよ、理由よ理由！」

わたしはたいていの場合、手段のことだと思ってしまう。

④指は立っている本数

たまに指を何本か立てて訊かれることがある。

「これ、何本に見えますか？」

わたしはこれがものすごく苦手だった。立っている本数はピースサインの場合、二本だ。しかし、「見える本数」なら、五本。どう答えるべきか？　わたしが沈黙しているので、相手は見えないものと判断してしまう。

「はい、もう結構です」

しかし最近、17歳の介助者２が「そう云う場合、立っている本数を答えればいい」のだと教えてくれた。

⑤耳と頭

最近ではだいぶ慣れたのだけど、外出から帰宅して、介助者が「耳（イヤホン）取ります」とか「頭（帽子やピン）取ります」とか云うたびに、わたしはぎょっとしていた。「取らないでください」と怯えたものだ。

こんな感じで、日常生活のさまざまな場面で、わたしは支障をきたしてしまう。それでも、みんなの慣習を知ることは新鮮である。慣れてゆきたい。

＊　3の3．苦しくなければ問題なし

ここで、もしかしたら、自分も発達障害かも知れない、或いは自分の子どもや周りのひとが発達障害かも知れない、と疑っているあなたへ。

あなたが生きているうえで、なんら軋轢や摩擦を感じていないとしたら、あなたは〈生きづらさ〉

を感じてはいないことになる。あなたの子どもや周りのひとの場合も同様だ。ポイントはあくまで本人の苦しみにおくべきだ。逆に云うと、周囲からどんなに浮いて見えようと、その本人がなんら痛痒を感じていないのならば、それは対処する必要がないのである。

だけど、もしも、本人がすこしでも苦しいならば（或いは苦しそうならば）、すぐにでもなんかの手を打たなければならない。

①専門家のいるクリニックなどに行き、きちんと診断を受ける。

専門家でないと、そもそも発達障害を認知していなかったりするから、事前によく調べて発達障害をきちんと診ることができる専門家のいるクリニックに行くべきだ。

きちんと心理テストなどを受け、発達障害の診断を確定してもらおう。

②投薬で、楽になることもある。

ひとにもよるが、投薬で、楽になることもある。発達障害は脳の機能の問題なので、脳にはたらきかける薬が有効な場合もある。具体的には、思考の整理を助ける薬などが使われることが多い。

お医者さんに、相談してみるのも手かも知れない。

③自分の特性（苦手、不得意分野など）を知ろう

発達障害とひと言でまとめてもその特性はひとそれぞれ。だからまず、自分の特性をきちんと把握することが大切だ。とくに、自分が苦手なこと、不得意な分野を知ること。それらを避けるだけでも、ずいぶんと苦しさは減る。たとえば、わたしは〈空白の時間〉が苦手。だから基本的にずっ

と音楽を絶やさない。そんなふうに、自分の特性に応じた対処が自分でできるようになれば、かなり楽になるはずだ。

④周りのひとに理解を求めよう

わたしの場合、『自閉っ子、こういう風に出来ています』と云う本や自分でつくった自分の〈取説〉を周りのひとに読んでもらうなど、理解を求める工夫をしている。周囲の理解とサポートがあれば、ずいぶんと違ってくるものだ。

子どもの場合には、学校などに説明をしてサポートを依頼する必要もあるだろう。大人の場合には、職場などでの理解があったほうが断然いいし、行政などにも発達障害者の支援を行う部署がある。とにかく、ひとりで悩まないこと。

以上のようなことを試してみてほしい。そして、発達障害はけっして異常ではないのだから、安心して行動してほしい。

＊ ３章まとめ．

発達障害について見てきた。ほんとうは精神障害全般について扱いたかったのだけれど、紙幅の都合上そうもいかず。発達障害はわたしにとって、自分を規定するもっともおおきな要素であるから、扱うことにしたわけだけど、これはあくまで、ミカヅキカゲリから見た発達障害だと考えてもらったほうがいい。あなたが、発達障害かそれに関わるひとかは、判らないが、すこしでも参考になったなら仕合わせだ。

＊　4．ＬＧＢＴＱ

ＬＧＢＴＱと云うことばはちかごろ、とみに市民権を得てきた
しかし、一般的にどの程度の理解があるか、懐疑的にならざるを得ない
わたしは、ＬＧＢＴＱ当事者だ
とりわけ、Ｑ（クイア、クエスチョニング）に属する
この本で、ＬＧＢＴＱを説明するのは不可能だろう
あくまで、わたしから見たＬＧＢＴＱのさわりのつもり

いろいろとむずかしいよね性のこと個人的だし複雑だもの

＊　４の１．異性愛、同性愛、両性愛

世の中には、さまざまな性的指向（志向、嗜好ではない）がある。おおきく分けて、異性愛、同性愛、両性愛だ。異性愛をストレートとも云う。たまに、ノーマルと云うひとがいるが、それは同性愛や両性愛がアブノーマルだと云っているようなものであり、タブーだ。

おそらく、性的指向の話に入る前に、性別を規定する四大要素の話をしておいたほうがいいだろう。

①生物学的性別
②性自認
③性的指向
④性表現

の四つだ。

①は生得的に獲得した、或いは法的に定められた性別のこと。

②はそれとは無関係に自分をどの性別に属すると感じるかと云うこと。この場合、性別は一般的な〈男女二元論〉には合致しないことも多いため、性自認はものすごく多種多様だと云える。

③は、自分の性愛の対象がどの性別に向くかと云うこと。これも、一般的に、異性愛、同性愛、両性愛に分けられるが、タトエバトランス女性（もとは男性で性自認が女性）が女性を好きな場合、それは同性愛となるなど、ものすごく複雑である。

④は、服装や言葉遣いなど、どの性別に寄せて、自分を表現するかを指す。云ってみれば、どのジェンダーを選択するかと云った問題である。たんに異性装（トランスヴェスタイト）と云うだけで、

性的には全くのシスジェンダーの場合もある。女装家がすべてゲイだと考えるのは早計であろう。

　さて、話を戻そう。つぎは、同性愛について。

　性自認が男性の同性愛者のことをゲイと呼ぶ。

　性自認が女性の同性愛者のことをレズビアンと呼ぶ。

　ＬＧＢＴＱのＬとＧのことだ。このなかで、歴史的に主導権を握ってきたのはゲイたち。独自の文化も形成してきた。対してビアンは長い間ないもの扱いがつづいた。すこし、脱線するが、男性同性愛者をホモ、女性同性愛者をレズ、と呼ぶのは、差別用語なので、注意してほしい。イヌイットをエスキモー、ロマをジプシーと呼ぶようなものだ。

　つぎに、両性愛について。一般的に、バイセクシャルと呼ばれる。ＬＧＢＴＱのＢのこと。最近では、パンセクシャルと自称するひとも多い。日本語では、全性愛者と訳し、性別にとらわれない恋愛をするひとのことだ。この辺の厳密な区別は難しく、おそらくは自分がなんに当たるかは、自分で決める、のがいちばんなのだろう。

＊　4の2．ＬＧＢＴＱのＴにあたるひとたち

つぎは、ＬＧＢＴＱのＴにあたるひとたちについて。所謂、トランス。トランスジェンダー、トランスセクシャル。

要するに、躰の性別と心の性別が一致しないひとびとのことだ。生物学的に男性だが性自認は女性の場合、ＭｔＦと呼ぶ。反対に、生物学的性別が女性だが性自認が男性の場合、ＦｔＭと呼ぶ。

また、男女のどちらにも当てはまらない性別を自認するひともいる。それは、第三の性、もしくはＸ－ジェンダーと呼ばれている。じつは、わたしはこれにあたり、そう云う意味では、ＦｔＸと云って介意わないと思う。

よく、混同されている問題だが、〈性同一性障害〉と所謂〈トランス〉は、必ずしも、イコールではない。後者のほうが幅広い意味を含む。前者はあくまでも、ホルモン療法や手術による肉体改造を行うための診断名である。

現に、わたしはＦｔＸではあるものの、肉体改造は望んでいない。

また、トランスジェンダーとトランスセクシャルに関しては、前者があくまで社会的な扱われ方（ジェンダー）への違和が中心であるのに対し、後者は肉体的な違和感が中心である、と云う特徴を有する。

ところで、前項の性的指向について、書き漏らしをすこし補足させてほしい。

それは、すべてのひとに性愛感情が存在するとは限らない、と云うこと。

近代以降、〈男女二元論〉に基づいた〈ロマンチックラブイデオロギー〉とでも云うものが広く流布した。それに乗っかるのが正常なことであるかのように。

しかし、アセクシャルと呼ばれる性愛がないひとびともいる。日本語では、無性愛者などと訳される。

　性のかたちは千差万別なのである。

話を戻す。トランスに対抗する概念として、紹介したいものがある。

シスジェンダーと云う。所謂、躰の性別と心の性別に不一致がないひとびとのこと。

生物学的にも性自認も男性の場合、シス男性。生物学的にも性自認も女性の場合、シス女性。と呼ばれるわけだ。

これは、性的指向とは無関係なので、たとえば、シス男性の同性愛者やシス女性の両性愛者なども存在する。

だが、性的指向に拘わらず、シスジェンダーは〈生得的な生きやすさ〉を有している、とされる。マジョリティであるからであろう。

　この項と前項のさまざまな性のかたちは、それこそ、百人百とおりである。よく、性はグラデーションと評される所以である。それに関連するなら、虹色、レインボーカラーは、セクシャルマイノリティのシンボルともなっている。

＊　4の3．LGBTQのQにあたるひとたち

Q（クイア、クエスチョニング）とはなんだろう。もともと、LGBTと呼ばれることの多かったセクシャルマイノリティに、ちかごろ、Qがくっつくようになった。

それは、レズビアン、ゲイ、バイセクシャル、トランスジェンダーと云うだけの範囲ではカバーできない多様性に対応するためだろう。

わたし自身、自分はこのQに属している、と感じている。

しかし、Qに属していると云うのは、奇妙な表現かも知れない。もともと、Qはなににもとらわれないことを示しているような気もするからだ。

Qが内包するものは幅広い。性別に囚われたくないひと、そもそも性別など意識していないひと、いろいろな規範から自由になりたいひと、などなど。


わたしは、Q（クイア、クエスチョニング）にこそ、可能性を感じる。ひとがいろいろなカラーを持っていることの証左である気がするからだ。

Q（クイア、クエスチョニング）はその意味で、希望、だと思う。Q（クイア、クエスチョニング）と云うことばも概念も、残念ながら現状ではまだあまり知られていない。市民権を獲得したかに見えるのは、もっぱらLGBTに限られていて、Q（クイア、クエスチョニング）はいまいち浸透していない感がある。

だから、わたしは、LGBTQと繰り返し書くことで、見逃されがちなQ（クイア、クエスチョ

ニング）にスポットライトを当ててゆきたい。

＊　4の4. カミングアウトとアウティング

よく、「自分の周りはセクシャルマイノリティとかいない。だって、見たことも聞いたこともないし」と公言して憚らないひとがいる。

が、それはたぶん、違う。あなたが見たことも聞いたこともないのは、あなたがカミングアウトしてもらってないだけ。

カミングアウトはもともと、「カミングアウトザクローゼット」と云うゲイコミュニティのスラングに由来する。

ここで、もしカミングアウトされたとして、どういう反応をすればいいか、考えてみたい。

①けっして騒ぎ立てることなく、冷静にきちんと話を聞こう

相手は勇気を振り絞って、打ち明けてくれたと考えるべきだ。ここで大切なのは、受容的な態度だろう。

②周りに明かしてもいいのか確かめよう

相手はあなただけに打ち明けたのかも知れない。周りに明かしてもいいのか、自分の胸にとどめておくべきなのか、しっかり確認しておいたほうがいい。

③とにかく、話してくれたことへの感謝を伝えよう

相手の話をあなたがどう受け止めたか、それには拘わらず、話してくれたことへの感謝は伝えよう。

つぎに、アウティングについて。これは、カミングアウトされたことを本人の諒解なく、周囲に

明かしてしまうこと。随分前になるが、一橋大でアウティング事件が起こり、世間に認知されるようになった。

じつを云うと、わたし自身、セクシャルマイノリティを特別視しないあまり、思わずアウティングをしてしまいがちで、気をつけなければと自戒することが多い。

まえに、ビアンの介助者がいた。そのひとはたぶん、わたしにだけ打ち明けていた。だが、わたしは何気ない世間話のなかで、ほかの介助者に、「○○さんが、最近、同棲している恋人とずっと○○（ゲーム）をやっているらしくて」と話した。しかし、そのゲームは腐女子向けのものだったので、話を聞いた介助者は「え？　恋人は女のひとですか？」と訊いてきて、思わぬアウティングになってしまったことがある。

このように、アウティングしようと悪意を持ってする場合は少ないと思われる。だからこそ、慎重にならなければいけないし、注意が必要なのだ。

＊　4章まとめ.

くり返しているように、LGBTQの問題は千差万別である。この本で、扱うことができたことなんてほんのさわりのさわりにすぎない。

それでも、一般のひとに、あまりに、セクシャルマイノリティが認知されていない現状には、おどろきを禁じ得ない。50年前ならいざ知らず、この期に及んで「ゲイはキモい！」とか「LとGだけになったら日本は滅びる」とか云う言説を耳にしたりすると、哀しいのをとおり越して、呆れてしまう。わたしの周りには、セクシャルマイノリティがたくさんいたからだ。

だからこそ、そんな、LGBTQに触れる機会がなかったあなたにとって、この章がはじめの一歩になればうれしい。

＊　5. やさしい世界

王冠の猛威により、世界からますます寛容さが喪われてゆく
「やさしいせかいになりますように」
アニメのなかで、車椅子で盲目の少女がかつて口にした
いま、世界の、ひとびとの真価が問われている
我々は、すすんでゆけるのか……？

王冠の猛威炸裂けれどなおやさしい世界であれますように

＊　5の1．傷つきやすさとやさしさ——想像力を大切に

やさしさとは、なんだろうか？　場合によっては、傷つきやすさとも同義に思えることもある。だが、わたしは、やさしさとは、〈成熟〉ぢゃないかと感じている。

傷つきやすさを超えたところにある、成熟。それこそ、ほんとうのやさしさではないだろうか。傷つきやすさは、よわさに見えるかも知れない。だが、痛みを知らないと、ほんとうのやさしさには到達できない気がする。

戦争や犯罪の被害者は、おなじ思いをほかのひとに味あわせたくないと感じるだろう。そこまで、極端な例でなくとも、たとえば、心を病んだ経験があれば、他人の痛みや苦しみにどうしたって、敏感にならざるを得ないだろう。

痛みや苦しみは、味わないに越したことはないかも知れない。だが、痛みや苦しみの試練がひとをつよく、やさしくする。わたしの云う〈成熟〉とは、そう云うこと。

しかし、痛みや苦しみを経験していないと、やさしくはなれないのか、と云うと、もちろん、そんなことはない。経験がなくとも、人間には想像力があるからだ。

想像力———……。他者を慮ること。なにもむずかしいことではない。ひとは、誰しもなにかを抱えながら、生きているはず。必要なのは、相手の事情の把握でも理解でもない。そうではくて、自分がなにかを抱えているのとおなじように、相手もなにかを抱えているかも知れないと慮ること。それこそ、想像力にほかならないだろう。

これはなにも、個人と個人のあいだの話にとどまらない。

コミュニティとコミュニティのあいだでも、もっとおおきくは国家と国家とのあいだでも、同様だろう。人種や民族、もしかしたら宗教も違っているかも知れない国家と国家のあいだで、その差異を埋め得ることができるものがあるとすれば、それは想像力でしかないだろう。

想像力と云うことばが抽象的すぎるとしたら、相手の立場や気持ちになってみることだと云い変えるといいかも知れない。相手の立場や気持ちになってみると云うと、容易くも思えるかも知れない。だが、相手との価値観そのほかの差異がおおきければおおきいほど、その作業は想像以上に果てしないものになるだろう。

それでも、相手の立場や気持ちに寄り添うことをあきらめないでほしいと、わたしは思う。あきらめずに、歩み寄りをつづければ、いつかきっと道は開けるはずだ。根気強く、やってみてほしい。

その先にきっとやさしい世界が待っている。

＊　5の2．延髄反射は禁物

昨今、SNSが一般的になるなか、世の中のひとの大半が延髄反射に陥っているような気がして、違和感を覚えざるを得ない。延髄反射は、パッと目に入った情報に精査することなく飛びついた上で、それに対し、深く思慮することもしないままに反応してしまうこと。

SNSなどで、文字だけのやり取りの表層だけをとって、（相手の事情や真意は判らないのに）叩いたり、炎上させたりしているのが、しょっちゅう散見される。みなが、延髄反射に延髄反射で応じていることが原因だろう。

SNSなどで不愉快なものを目にしたとき、あなたはどうしているだろうか？　パッと反応することはないだろうか？　即座に否定できるひとは、すくないだろう。多くのひとが延髄反射で会話している結果がいまの殺伐とした社会につながっているのだから。

そもそも、文字だけのコミュニケーションは、それ自体、不完全なものであるとみんながもっと認識すべきだ。ジェスチャーも相手の表情の機微も判らないのだから。だいたい、顔も本名も素性も判らない相手を相手にしている場合が殆どなのだから。情報量がそもそも限られているなかで、延髄反射でやり取りをくり返していたら、それは当然、険悪な雰囲気にもなるだろう。容易にほうぼうで喧嘩やいがみ合いが勃発している現状も無理からぬ話だ。

けれど、顔の見えない相手でも、じゅうぶんに傷つけることは可能だ。いや、寧ろ、顔の見えない相手であるからこそ、貶めることも必要以上に残虐になることも容易いのだと云ってしまってもいいだろう。

仮にＳＮＳなどで叩かれたとき、「これは、リアルの自分ぢゃないから平気」と気にもとめずに、受け流せるひとなどいるのだろうか？　もちろん、皆無ではないだろう。だけど、世の中の大半のひとは気に病んだり、追いつめられたりする。酷くなりとつらくなって心の病気になることもある。さらに、それが悪化して、自ら死を選ぶような事態にもなりかねない。

そう、ＳＮＳなどのメディアは、犯人も判らないような状態で、ひとを殺めることすら、できてしまうのだ。

だから、延髄反射は危険なのだ。延髄反射でパッとそのキーを打つ前に、すこしだけ立ち止まって考えてほしい。あなたの発信の先に、あなたとおなじ傷つきやすい人間がいることを。

その際に重要になってくるのが、前項で述べた想像力である。顔も本名も素性も知らない相手のことを思いやるちから。その想像力を発揮するためにも、欠かせないのが、〈心の余裕〉ではないだろうか？　延髄反射のくり返しからは、けっして心の余裕など生まれないだろう。延髄反射をいったんやめ、すこしでも考えてから反応するようにしてみてほしい。それがあなたにもゆとりをもたらしてくれるから。

＊　5の3．延髄反射が必要なときもある――まずは、自分にやさしく

前項でさんざん、延髄反射の危険性について、述べてきた。たしかに、延髄反射はトラブルの原因になりやすく、できるだけ避けるべきである。

しかし、延髄反射が必ずしも悪者かと云うとそんなことはない。場合によっては、延髄反射が必要なときもある。この項では、そんな場合について見ていきたい。

それは、直接的になにか云われたり、されたり、と危害を加えられた場合である。咄嗟に反応できたほうがいい。「なにするの！　やめてよ！」と。

それができるかできないかで、ショックの残り方が違ってくるのは、想像に難くない。

たとえば子どもが遊んでいる場合などが判りやすい。ある子どもが玩具で遊んでいたとする。別の子どもが強引にそれを取り上げたとき、子どもの反応は、ふたパターンに分かれるだろう。①怒って取り返す。②そのまま呆然と固まってしまい、反応ができない。

その後もしばらく、様子を見ていると、①の子どもがすぐにケロリとしてふだんの調子を取り戻すのに対し、②の子どもがいつまでもショックを引きずり、やがてじんわりと泣き出す場合が多いことが判るだろう。

程度の差はあれ、大人にもおなじことが云えるだろう。

大人の場合、そう目に見えてショックを引きずることはすくないかも知れない。だが、不当な扱いを受けたと感じたとき、そのことを相手に訴えることができるかが、その後のショックの残り方に影響してくる。具体的には、延髄反射で「なにするの！」や「いやだった」を毅然と伝えられるか否か。

じつは、ほかならぬわたし自身、これが非常に苦手だ。たいていの場合、ショックのあまり固まってしまい、抗議はおろか反応らしい反応すらできない。

だけど、もちろん、相手には気づいてもらえない。なんの反応も示していないのだから当然である。

わたしの場合、きちんと自分を表現できる手段が文章だけだったこともあって、あとで相手に手紙を渡していたりしていた。相手にすれば青天の霹靂であり、「いまさらなにを？」と云う話である。親にも、わたしはそのやり方をやっていたのである。

当然ながら、うまくいくはずもなく……。わたしの思春期における交友関係は、惨たんたるものだった。

そして、長い歳月が経過したいまになっても、根本的には変わっていない。

だから、本質にわたしは生きづらい。

でも、いつまでもそんな場所に甘んじていてはいけないと思う。降りかかってくる火の粉は、払えるように。生きていけるように。まずは、自分にやさしく。

＊　5の4．いまどうしても苦しいわたしとあなたへ

最後の項は、美しく纏めるかたちで終わらせたかった。でも、現にわたしは苦しみのなかにいる。率直に云ってしまうなら、七転八倒、のたうちまわっている。だから、あえて向きあってみることにしようと思う。

ここで逃げてしまっては、この本ぜんたいが嘘になってしまう気がして。いや、嘘にならないまでも、この本で綴ってきたことが、夢見がちな詩人が描いた空想物語になり果ててしまいそうな気がして。

そんなわけで、向きあおうと決めた苦しさだが、はっきりとした理由も原因も判らないでいる。想像するに、いくつかの要因が絡みあっているのであろう。

①深刻な介助者不足により、自由が阻害されていること

介助者不足が深刻だ。週に4日ほど13時間くらいの空きがある。そこまで長いと、トイレの問題もあり、さすがになにもできずにベッドで寝ていることしかできない。想像してみてほしい。なにもできない、13時間を。起き上がることはおろか、寝返りも打てず、暑かったところでタオルケットを払いのけることすら、できないのだ。

ほかに、毎日4時間と2時間の空きがある。そこまで空きが長いと、外出も入浴もむずかしくなってしまう。

さらに、来月から日中が完全に空くため、生きていける気がせず、不安しかない。前日からひきつづいて30時間以上の空きもザラで、当然ながら、その間は、食事はもちろん、トイレも水分補給

も我慢。さすがに、人権侵害なんぢゃないか、と思いはじめたところだ。

②周りのひと（とくに介助者）に本音を晒け出せない

わたしが本音を晒け出せるのは、文章のなかだけである。前に、「わたしには本音しかない」と述べたが、そう云う意味の本音ではなくて、心の苦しみや悩みと云った本音である。

③「いい気な大人は叱られる」の呪縛

これにいては、前の本『形成七（けいせいセブン）』に詳述したため、かるく触れるだけにする。わたしには昔からいつか薄っぺらな自分の化けの皮が剥がされ、すべてが通用しなくなるのではないか、と云う根源的な恐怖感がある。

たぶん、苦しいのはわたしだけぢゃない。おなじように苦しむあなたに云えることがあるとすれば、「それでも生きることをあきらめない」こと。あなたもあきらめないで！

＊　5章まとめ.

『5. やさしい世界』と題したこの章だったが、いざ書き終えてみると、この本ぜんたいをとおしていちばん散漫な章になってしまった気がしている。自分なりに、やさしい世界を目指すには、どうすればいいかを考えながら、文章を綴っていった結果だが、読者の皆様には読みにくくなってしまったかも知れない。お詫びする。

コロナ禍がいっこうに去らない。そのなかで、我々ひとりひとりの真価が問われていると感じている。寛容さを喪う社会のなかにあって、いかにやさしさやゆとりを保てるか。

この章には、ごくごく個人的な問題も書いた。おおくの方にとって、どうでもいいことかも知れない。けれど、わたしがどのような状況に置かれていて、それでもあきらめてはいない、と云うことを知ってほしかった。

ひいては、それがあなたの明日を生きる勇気につながるかも知れないから。

＊　あとがき.

どうしても本が作りたい！　そんな衝動が抑えきれず、急遽誕生した本です。だから、文章にも、綿密な計画性もなければ、構成にも緻密な計算など、まったく含まれていません。

ただ、わたし、ミカヅキカゲリがいま考えていること、感じていること、置かれている状況だけは、ふんだんに盛り込みました。

最近、わたしはとても苦しく、大半の時間、『死』について夢想しています。だけどそのたび、もうひとりのわたしに引き戻されます。やるんぢゃなかったの？　生きていくことは決めたんでしょ？　できることは、書くこと、ぢゃなかったの？　と。

生きていくことに、疑いを持ってしまうおおくのひとと、そうしたひとをなんとか理解したいと願うひとのために、この本を書きました。

あなたに、なにかが残ることを祈って×××

ミカヅキカゲリ＠最近のお気に入りはアーモンドフィッシュ
２０２０年初冬

†三日月少女革命†

奥付

書名　エッセイ　障害者のひとり暮らし②
『車椅子のＬＧＢＴＱ』

著者　ミカヅキカゲリ

発行　†三日月少女革命†

発行日　２０２０年12月10日

印刷所　プリントパック

ＵＲＬ　http://3kaduki.link/

定価　（本体８００円＋税）

ＩＳＢＮ　978-4-909036-03-2　C0036